MW01094628

GRIEF LOGIC

POEMS

CRYSTAL AC SALAS

To Benjamin,
Thank you for holding community with me today!
¡Saludos!
AC

GUNPOWDER PRESS • SANTA BARBARA
2022

Published by Gunpowder Press
David Starkey, Editor
PO Box 60035
Santa Barbara, CA 93160-0035

Cover Photo by Annie Spratt on Unsplash

ISBN-13: 978-1-957062-02-0

www.gunpowderpress.com

para Clarita y Serafin

Contents

Contenidos

the first night of no one

i went to joshua tree   the nightfall never so clear   on its points
thought I could drop   my head back enough to see my pretending
cradled in orion's belt   cupped in big dipper
enough for me to drink   exhaled   inhaled   my own nebula
                    i don't know where god is   but
i believed in you   not like a god   just a dust road still traceable
but the stars stole   the map right out of my mouth

la primera noche de nadie

fui a joshua tree   el anochecer nunca tan claro   en sus puntas
pensé que podía inclinar mi cabeza hacia atrás lo suficiente para ver mi fingimiento
acunado en el cinturón de orión   ahuecado en el la osa mayor
suficiente para beber   exhalé inhalé   mi propia nebulosa
                    no se donde está dios   pero
yo creí en ti   no como un dios   solo un camino de polvo aún rastreable
pero las estrellas robaron el mapa directamente de mi boca

Clarita speaks to Serafin while pacing the house alone

> *"Ella quiso quedarse / cuando vio mi tristeza / pero ya estaba escrito"*
> —"Ella" por José Alfredo Jiménez

And now that it's all over

what do I do with my body

she was young   mine   still standing in the window

in Tijuana   our old city   playing hard to get   with the future
    a pobrecito's serenade

  shredded brass   drunk strings

she will love his hair forever   his sung promise   trumpet laughter

        touch for the perfect papaya   wild brow of mischief

      the crook of his arm, still like a trellis
                en el mar la vida es más sabrosa

how many minutes   did she wait
                en el mar te quiero mucho más

to come down   the stairs

to kiss   him into You,   Querido.

*

now   it rains in this city   without warning

I don't speak public sadness

Clarita habla con Serafin mientras pasea sola por la casa

"Ella quiso quedarse / cuando vio mi tristeza / pero ya estaba escrito"
—"Ella" por José Alfredo Jiménez

Y ahora que todo ha terminado

que hago con mi cuerpo

ella era joven   mía   todavía de pie frente la ventana

en Tijuana   nuestra ciudad vieja   haciéndose la difícil   con el futuro
la serenata de un pobrecito

bronce triturado   cuerdas borrachas

ella amará su cabello por siempre   su promesa cantada   risa de trompeta

toque para la papaya perfecta   ceja salvaje de picardía

la curva de su brazo, quieto como un enrejado
en el mar la vida es más sabrosa

cuántos minutos   ella esperó
en el mar te quiero mucho más

para bajar las escaleras

para besar   él en Ti,   Querido.

*

ahora   llueve en esta ciudad sin avisar

no hablo tristeza pública

loss   a salty river   blocked by my tongue   I don't speak

to anyone   who never knew you

water the plants   in the window   they also breathed

your air   that orchid

broke at the neck   before I could mend it

the first night of no one   una canción me visitó

I could not remember its body   alone in your library

how could I name it?   once unfamiliar   rooted   then forgotten

era el último brindis   *con una reina*   *quise hallar el olvido*

what is left   go back to the beginning

even after a bedside life
tell me you still saw her, too.

pérdida   un río salado   bloqueado por mi lengua   yo no le hablo

a cualquiera   quien nunca te conoció

riega las plantas   en la ventana   también respiraron

tu aire   esa orquídea

rompió el cuello   antes de que pudiera repararla

la primera noche de nadie   una canción me visitó

no pude recordar su cuerpo   sola en tu biblioteca

¿cómo podría nombrarlo?   una vez desconocido   arraigado   luego olvidado

era el último brindis   con una reina   quise hallar el olvido

lo que queda   regresa al principio

después de una vida de cabecera
dime que tú también la viste.

Living Room

When my six-year old cousins ask me   *where is he*
I try to define everything about a God
you didn't believe in   until the hospital room slipped out
you begged   *Mami Mami are you there*
took communion from the priest the next time
his voice filled the room   I can't hold it against you
there are times I sink   into a spilled drink of my own grieving
stucco   beside my bed   becoming scratch
phosphor   chalk   everything suddenly
no me importa   I don't know where life is
because breaths seem to come like the lottery we watched
get called out and   go unclaimed
day after day the week   after your death
which was spent trying   to make sure
your Love was still eating   condolence
gorditas and turning off   the World Series to pray
the rosary   only to switch it back   once the silence
of living room twined   made us sweat
I help M and S write   homework sentences
on the soft cobija   the other room
they ask   could we write you   a letter
I try to define   everything   about a god I don't talk to
but I pretend for long enough   to sit next to your Love
who never got to say goodbye what kind
of god   cuts a telephone line like that
to such a well-paying customer
I learned to pray   the rosary in Spanish
even though I don't   know what I'm saying
I don't know   how else to keep the living room
from collapsing   Salas means living rooms   plural

Sala

Cuando mis primos de seis años me preguntan *¿dónde está?*
Trato de definir todo sobre un Dios
en el que no creías   hasta que el cuarto del hospital se disolvió
le rogaste   *Mami Mami ¿estás ahí?*
tomastes la comunión del sacerdote la próxima vez
su voz llenó la habitación   no puedo culparte
hay veces que me hundo   en una bebida derramada de mi propio dolor
estuco   al lado de mi cama   volviéndose un rayón
fósforo tiza   todo de repente
no me importa   no sé dónde está la vida
porque las respiraciones parecen venir como la lotería que vimos
ser llamado y   no ser reclamado
día tras día la semana   después de tu muerte
que se pasó tratando   de asegurarte
de que tu Amor todavía estaba comiendo   condolencia
gorditas y apagar   la Serie Mundial para rezar
el rosario   solo para volver a encenderlo   una vez que el silencio
de la sala se entrelazó   nos hizo sudar
ayudo a M y S escribir   oraciones de tarea
en la cobija suave   la otra habitación
preguntan   si podemos escribirte   una carta
trato de definir   todo   acerca de un dios con quien yo no hablo
pero finjo el tiempo suficiente   para sentarme al lado de tu Amor
que nunca llegó a decir adiós qué tipo
de dios   corta una línea telefónica así
a un cliente que paga a tiempo
aprendí a rezar   el rosario en español
aunque no   sé lo que estoy diciendo
no sé   de qué otra manera puedo mantener la sala
sin colapsar   Salas significa salas de estar   en plural

and we have cinder-blocked into many salas
some littered with used tissues hived skin
others roped off velvet laced dusty doilies
I don't know where god is but I pretend
to know your forwarding address
my cousins ask me about the letter
I tell them you can't write back because
your mailbox is now everywhere
like when they're on the playground feeling lonely
or feeling weird on the bus they accept this logic from me
ask me to retell it and you I say yes to this forming of a room
and yes to watching the daily *misa* on closed
circuit television weeknights at five p.m. with your Love
and yes to believing in birds
wind phantom doors shaking bedframes for everyone
who needs me to say I see it yes I see it too

y hemos   bloqueado con cemento   a muchas salas
algunas llenas   de pañuelos usados   piel sarpullido
otras acordonadas   con encaje de terciopelo   tapetes polvorientos
no sé   dónde está dios   pero pretendo
saber   tu dirección de reenvío
mis primos me preguntan   por la carta
les digo que no puedes   responder porque
   tu buzón ahora está en todas partes
como cuando están en el patio de recreo   sintiéndose solos
o sintiéndose   raro en el bus   aceptan esta lógica mía
pídeme que lo vuelva a contar y tú digo que sí a esta formación de un cuarto
y sí a ver   la misa diaria en circuito
cerrada de televisión   entre semana a las cinco de la tarde   con tu Amor
y si   a creer en   las aves
viento   puertas fantasma   marco de las camas sacudiendo   para
todos los que necesitan   que diga   que lo veo sí lo veo   también

Elegía Poetica

I was not born into the arms of my mother. I could breathe, but I couldn't digest. I breathed for less than an hour before a machine had to do it for me. I was born into the silence around my possible death. In the waiting room, my first cry belonged to my abuelita. When no one told her anything, this absence became words, then sentences: ¿Dónde? ¿Mi nieta? ¡Dios! ¿Diosito? ¿Por qué? According to my mother, my abuelita became a puddle that no one could clean up. My abuelita's name is Clara. Mine is Crystal. My parents said they named me after Billy Joel's saxophonist. Or a pretty rock. I lived, and the year my sister was born, our uncle died. Once that year, my abuelita says, she was helping my father bathe us and I began to cry. She had to leave the bathroom because I had become her dead son, fresh and small with his soul split by a scraped knee. I lived, and my abuelito, an atheist, saved my melted baptismal candles in a paper envelope. I lived, and every time I thought I would die, my child soul split by a scraped knee, my abuelito held me on the plastic-covered couch, even though his arms were stiffened from labor and a discomfort with being touched. My abuelito called us his reinas, and introduced us to other royalty: Itzcoatl, Pakal, Siquieros, Kahlo, Rivera, Neruda, Fuentes, Márquez, Paz. My abuelito would introduce me as mi poeta. Mi poeta. Mi poeta. (Some days, the world won't call me that name to my face. *Kind. Nurturing. Teacher*. But rarely *Poet*.) The world wouldn't call my abuelito a scholar. *Immigrant*, *Worker*, *Unskilled*, but rarely *Scholar*. So he hoarded books in the barren field he was given. He talked sweetly to birds, had an orange finch named Pavarotti who spent his days in front of a tiny mirror. He told me some birds get their food from puddles on the ground, but some birds can have the whole damn sky, from which everything comes, mija. I want you to eat from the sky, he said to me. Nunca mueres, he would say. When his breath became a machine, I became a puddle on the floor of the ICU. My father asked me to clean it up. (My father never learned how to swim. He couldn't go to the city pool. Instead, he blinks a thousand times for every word he can't say.) Every time someone I love dies, I am reborn into a

Elegía Poetica

No nací en los brazos de mi madre. Podía respirar, pero no podía digerir. Respiré menos de una hora antes de que una máquina tuviera que hacerlo por mí. Nací en el silencio cerca de mi posible muerte. En la sala de espera, mi primer llanto fue de mi abuelita. Cuando nadie le dijo nada, esta ausencia se convirtió en palabras, luego en frases: ¿Dónde? ¿Mi nieta? ¡Dios! ¿Diosito? ¿Por qué? Según mi madre, mi abuelita se convirtió en un charco que nadie podía limpiar. Mi abuelita se llama Clara. Mi nombre es Crystal. Mis padres dijeron que me dieron el nombre del saxofonista de Billy Joel. O una piedra bonita. Yo viví, y el año en que nació mi hermana, murió nuestro tío. Una vez ese año, dice mi abuelita, estaba ayudando a mi padre a bañarnos y me puse a llorar. Tuvo que salir del baño porque yo me había convertido en su hijo muerto, fresco y pequeño con el alma partida por una rodilla raspada. Yo viví, y mi abuelito, un ateo, guardaba mis velas bautismales derretidas en un sobre de papel. Yo viví, y cada vez que pensaba que iba a morir, con el alma de niño partida por un raspado en la rodilla, mi abuelito me sostenía en el sofá cubierto de plástico, a pesar de que sus brazos estaban rígidos por el trabajo y tenía una incomodidad por ser tocado. Mi abuelito nos llamó sus reinas, y nos presentó a otros miembros de la realeza: Itzcoatl, Pakal, Siquieros, Kahlo, Rivera, Neruda, Fuentes, Márquez, Paz. Mi abuelito me presentaría como mi poeta. Mi poeta. Mi poeta. (A veces, nadie me llama por ese nombre a mi cara. *Amable. Cuidadora. Maestra.* Pero rara vez *Poeta.*) El mundo no llamaría a mi abuelito un erudito. *Inmigrante, Trabajador, Incompetente,* pero rara vez *Erudito.* De modo que acumuló libros en el campo estéril que le dieron. Hablaba con dulzura a los pájaros, tenía un pinzón anaranjado llamado Pavarotti que pasaba sus días frente a un pequeño espejo. Me dijo que algunos pájaros se alimentan de los charcos del suelo, pero algunos pájaros pueden tener todo el maldito cielo, de donde viene todo, mija. Quiero que comas del cielo, me dijo. Nunca mueres, diría. Cuando su respiración se convirtió en una máquina, yo me convertí en un charco en el suelo de la UCI. Mi padre me pidió que lo limpiara. (Mi padre nunca aprendió a nadar. No podía ir a la

world I do not know and do not want to live in. In the hospital lobby, when I told my abuelita, I knelt at her feet and became the sea. I tread and tread until I felt the ridge of a different continent under her strengthening hands. She lived. I lived.

piscina de la ciudad. En cambio, parpadea mil veces por cada palabra que no puede decir). Cada vez que alguien a quien amo muere, renazco en un mundo que no conozco y no quiero vivir en él. En el vestíbulo del hospital, cuando se lo conté a mi abuelita, me arrodillé a sus pies y me convertí en el mar. Caminé paso tras paso hasta que sentí la cresta de un continente diferente bajo sus manos fuertes. Ella vivió. Yo viví.

Nieta Heaven

after "Pocha Heaven" by Sara Borjas

In Nieta Heaven, no one goes hungry because there is always some rice on the stove that perpetually refills itself so abuelita doesn't have to break her relaxing to get up to feed everyone who walks in. She says *mija, I love it* and this is the truth but sometimes this is also bullshit because Love is a panza stuffed with mole but it is also exhausting and in Nieta Heaven, we don't have to pretend like it isn't anymore, that it costs nothing because it does. And that honesty makes it so Nietas maybe don't have to grow into their abuelita's scoliosis one day. In Nieta Heaven, the fathers, the always-mijos, get up to cook a meal or two and don't believe their mothers when they say *Estoy bien, Mijo* and it teaches the Nietas not to believe them either. In Nieta Heaven, the nietas remember everything their abuelos said, in both languages. When they're in a bind, they can play back the wisdom in digital and know they got it right. In Nieta Heaven, there is so much time. There is so much time. Everyone snuggles to sleep under cobijas as a favored pastime, and not because DWP has raised its prices and the abuelos can't afford heat out of their fixed social security. In Nieta Heaven, Nietas don't have to translate because their abuelos get the respect they deserve in any public place, the first time. There is plenty of abuela's cold cream for when the nietas miss her but she is also not gone forever because in Nieta Heaven abuelos never have to die, they just get to leave the house without being scared or having to involve anyone. They get to go see their brothers and sisters and cousins because they are all still alive and there are no borders to worry and everyone can still live in Mexico if they want or stay living here but the distance is shorter and it's not a choice between living and dying anymore and so nietas also have more connection with the pueblos their abuelos came from. The fruit. The wind. The town square. The river. The dirt. Because of this, nietas find themselves

El Paraíso de las Nietas

después de "Pocha Heaven" de Sara Borjas

En el Paraíso de las Nietas, nadie pasa hambre porque siempre hay un poco de arroz en la estufa que se repone perpetuamente para que abuelita no tenga que parar de descansar para levantarse a alimentar a todos los que entran. Ella dice *mija, me encanta* y esto es la verdad pero a veces esto también es una pendejada porque el Amor es una panza rellena de mole pero también es agotador y en el Paraíso de las Nietas ya no tenemos que fingir que no lo es, que no cuesta nada porque sí cuesta. Y esa honestidad significa que es posible que Nietas no tengan que desarrollar la escoliosis de su abuelita algún día. En el Paraíso de las Nietas, los padres, los siempre-mijos, se levantan para cocinar una comida o dos y no les creen a sus madres cuando les dicen *Estoy bien, Mijo* y les enseña a las Nietas a no creerles tampoco. En el Paraíso de las Nietas, las nietas recuerdan todo lo que decían sus abuelos, en ambos idiomas. Cuando están en un aprieto, pueden reproducir la sabiduría digitalmente y saber que lo hicieron bien. En el Paraíso de las Nietas hay mucho tiempo. Hay mucho tiempo. Todos se acurrucan para dormir bajo cobijas como un pasatiempo favorito, y no es porque DWP haya subido sus precios y los abuelos no puedan pagar la calefacción con el dinero de su seguro social fijo. En el Paraíso de las Nietas, las Nietas no tienen que traducir porque sus abuelos reciben el respeto que se merecen en cualquier lugar público, desde la primera vez. Hay bastante crema facial de abuela para cuando las nietas la extrañen pero ella tampoco se va para siempre porque en el Paraíso de las Nietas los abuelos nunca tienen que morir, solo pueden salir de la casa sin asustarse ni tener que involucrar a nadie. Pueden ir a ver a sus hermanos y hermanas y primos porque todavía están vivos y no hay fronteras de qué preocuparse y todos pueden seguir viviendo en México si quieren o quedarse a vivir aquí, pero la distancia es más corta y ya no es una elección entre vivir y morir, así que las nietas también tienen más conexión con los pueblos de donde vinieron sus abuelos. La fruta. El viento. El zócalo del pueblo. El río. La tierra. Debido a esto, las nietas tienen más memoria sensorial que simplemente emocionarse

having more sensory memory than just getting excited over a pile of avocados from Michoacán at the Vons in Granada Hills. In Nieta Heaven, abuelita doesn't have to stop taking in birds because she's in too much pain to keep them up. Arthritis only gives abuelos an excuse to slow down when they want some "me time." Abuelos know what "me time" is and they aren't ashamed of it. They don't have to spend their lives disproving the name "lazy," even when they are at an age where other grandmas and grandpas get to be "retired." And their nietas don't have to nightmare about that word either. In Nieta Heaven, the nietas have time to help out their abuelos while also still being able to do what they need to do to do well in college because there is so much time. And because there is so much to carry for the nieta, some of us who never had to work at a factory in our lives because someone who loved us made sure of it, we still carry the weight of that making. We too, just like abuelito, have been where no one ever expected to see us. And in Nieta Heaven, abuelo gets to see us graduate, and there are so many graduations, even for abuelo, who only got to go to the 4th grade but read the dictionary every night as he fell asleep. There is so much time for abuelo to read and fall asleep. Nieta Heaven is built on every word of that search. There is so much time. There is so much time.

con un montón de aguacates de Michoacán en el Vons en Granada Hills. En el Paraíso de las Nietas, la abuelita no tiene que dejar de cuidar pájaros porque tiene demasiado dolor para mantenerlos. La artritis solo les da a los abuelos una excusa para aflojar el paso cuando quieren "tiempo para mí". Los abuelos saben lo que es el "tiempo para mí" y no les causa vergüenza. No tienen que pasar la vida refutando la palabra "vago", incluso cuando están en una edad en la que otras abuelas y abuelos llegan a ser "retirados". Y sus nietas tampoco tienen qué tener pesadillas con esa palabra. En el Paraíso de las Nietas, las nietas tienen tiempo para ayudar a sus abuelos y al mismo tiempo pueden hacer lo que tienen que hacer para avanzar en la universidad porque hay mucho tiempo. Y debido a que hay tanto que la nieta debe cargar, algunos de nosotros que nunca tuvimos que trabajar en una fábrica en nuestras vidas porque alguien que nos quería se aseguró de ello, todavía cargamos con el peso de esa fabricación. Nosotros también, como abuelito, hemos estado donde nadie esperaba vernos. Y en el Paraíso de las Nietas, el abuelo llega a vernos graduadas, y hay tantas graduaciones, incluso para el abuelo, que solo pudo estudiar hastá el cuarto grado pero leyó el diccionario todas las noches mientras se dormía. Hay mucho tiempo para que el abuelo lea y se duerma. El Paraíso de las Nietas se basa en cada palabra de esa búsqueda. Hay mucho tiempo. Hay mucho tiempo.

La Vida de Las Raíces/The Life of the Roots

A villanelle composed of translated lines from an interview with my abuelita.

I can feel the life of the roots in my hands.
I love to grip the earth.
I do not wear gloves to cover myself.

In the field, no girls could work, even so, papá taught me,
twisting peanuts from the dirt, each pull, a birth.
I could feel the life of the roots in my hands.

Before my family, I was alone.
Anything I was given to plant, I would learn.
I do not wear gloves to cover myself.

My mother kept her plants in pots.
When I see las Reinas de la Noche, I think of her.
I can feel the life of the roots in my hands.

The plants, they help me pass the time.
The soil takes my stress, each verse.
I do not wear gloves to cover myself.

My husband always arrived with new plants,
would sit next to me as I worked.
I can feel the life of his roots in my hands.
I do not wear gloves to cover myself.

La Vida de Las Raíces/The Life of the Roots

Una villanelle compuesta por líneas traducidas de una entrevista con mi abuelita

Puedo sentir la vida de las raíces en mis manos.
Amo agarrar la tierra.
No uso guantes para cubrirme.

En el campo, ninguna de las niñas podía trabajar, aun así, papá me enseñó,
retorciendo cacahuetes de la tierra, cada tirón, un parto.
Podía sentir la vida de las raíces en mis manos.

Antes de mi familia, estaba sola.
Todo lo que me dieron para plantar, lo aprendía.
No uso guantes para cubrirme.

Mi madre guardaba sus plantas en macetas.
Cuando veo a las Reinas de la Noche, pienso en ella.
Puedo sentir la vida de las raíces en mis manos.

Las plantas, ellas me ayudan a pasar el tiempo.
La tierra me quita la tensión, cada verso.
No uso guantes para cubrirme.

Mi esposo siempre llegaba con plantas nuevas,
se sentaba a mi lado mientras yo trabajaba.
Puedo sentir la vida de sus raíces en mis manos.
No uso guantes para cubrirme.

[We're most like ghosts]

We're most like ghosts
in botanical gardens in
the city side
we don't live
on empty, weekday mornings—

admiring the work of the rose breeder:
crossed at the pollen
cut at the hip.

Bushes named after someone's old auntie:
Minnie Pearl, Blanche, Heather,
never Maria, Consuelo, Lupe.

Benches bronzed with the names
of trustees, provosts,
philanthropists—
the rich dead,
considered by thousands
of daily visitors.

Who sees the camellias
we planted back at the house
next to the alleyway,
the one that took you,
sees your life?

[Nos parecemos mas a los fantasmas]

Nos parecemos mas a los fantasmas
en jardines botánicos
dentro de la ciudad
no vivimos
en las mañanas vacías entre semanas—

admirando el trabajo del criador de rosas:
cruzado en el polen
cortado por la cadera.

Matas que llevan el nombre de la tía viejita de alguien:
Minnie Pearl, Blanche, Heather,
nunca María, Consuelo, Lupe.

Bancos bronceados con los nombres
de fideicomisarios, prebostes,
filántropos—
los muertos ricos,
considerados por miles
de visitantes diarios.

Quien ve las camelias
que plantamos en la casa
al lado del callejón,
el que te llevó,
quien ve tu vida?

Han Pasado Seis Meses

de Clarita Bustos Salas

A man came to the door asking
for someone I don't know,
paced the front patio
looked in the window
when he thought I wasn't home.
Sometimes the front gate
sits opened, I don't know how.
That's never happened before, yet sometimes
when I pray the bed shakes. I
don't know if it's your abuelo
telling me to stop praying or
diciendo: *Estoy aquí.*

Mira! Las Reinas de la Noche!
Las flores bloomed rosadas y anoche
lloraron blancas!
My mother's favorite flower.
Mija, that's never happened before.

I told the priest at confession:
These days, my dreams
can't see my husband's face—
I worry he is lost
into a bad place, what is he doing there?
The Father said not to worry—
I can't see him because
he has moved on
a una paz que no puedo ver.

Han Pasado Seis Meses

de Clarita Bustos Salas

Un hombre vino a la puerta preguntando
por alguien que no conozco,
el paseó por el patio delantero
miró por la ventana
pensando que no estaba en casa.
A veces el portón en la entrada
se abre, no sé cómo.
Eso nunca ha sucedido antes, pero a veces
cuando rezo la cama tiembla. Yo
no se si es tu abuelo
diciéndome que deje de rezar o
diciendo: *Estoy aquí.*

¡Mira! Las Reinas de la Noche!
Las flores florecieron rosadas y anoche
lloraron blancas!
La flor favorita de mi madre.
Mija, eso nunca ha sucedido antes.

Le dije al sacerdote en la confesión:
En estos días mis sueños
no pueden ver la cara de mi esposo—
Me preocupa que él está perdido
en un mal lugar, ¿qué está haciendo allí?
El padre me dijo que no me preocupara—
No puedo verlo porque
él ha seguido adelante
a una paz que no puedo ver.

We all agree to hear your laugh in the air at the news of the toilet paper shortage

on channel 4
our city
where there is suddenly
no charmin, no kirklan
no purell, (si, vaporu)
no crystal geyser in gallons
only arrowhead, the last
water on earth,
that tastes like dirt
ay caray
you would say
as you try to leave
the house
to see your friends
at the grocery checkouts
the trader jones, the vons,
the Food4Less for California garlic
Ito, no, los viejitos tienen que
quedarse en la casa
I worry about you
being out there
in the public air—
you're not even here
you were so alive
the day you died, viejito
today, Michelangelo is at
the Getty and no one can see him
even with all their extra time,
or your favorite Rembrandt
at LACMA, torn down under construction
since you left, anyway

Todos estamos de acuerdo en escuchar tu risa en el aire sobre la noticia de la escasez de papel higiénico

en el canal 4
nuestra ciudad
donde de repente
no hay charmin, no kirklan
no purell, (si, vaporu)
ningún crystal geyser en galones
solo arrowhead, la última
agua en la tierra,
que sabe a tierra
ay caray
tu decias
mientras intentas salir
de casa
para ver a tus amigos
en las cajas del supermercado
the trader jones, the vons,
el Food4Less para el ajo de California
Ito, no, los viejitos tienen que
quedarse en la casa
Me preocupa de que
estés ahí afuera
en el aire público—
ni siquiera estás aquí,
estabas tan vivo
el día que moriste, viejito
hoy, Miguel Ángel está en
el Getty y nadie puede verlo
aun con todo su tiempo adicional,
o tu Rembrandt favorito
en LACMA, demolido en construcción
desde que te fuiste, de todos modos

yes, I am home
from school
reading, and watching too many
pendejadas on Netflix
but staying inside
only leaving to deliver groceries
to Ita and Lizabet
all of us with immune systems
que sufriendo
since you left
more vulnerable
than ever, but we keep
each other and some of us
keep God
you might have
patriarched in overdrive
buying our groceries
or maybe you would have
disappeared hours in the cave
of your records compliant
in meditation with sus canciones
it's hard to say
where we would be now
hard to know
where any of us would be
without this enfermedad
en el aire, today
The air
quality in Los Angeles
is the cleanest in the world
even over your barrio
where the city forgets your neighbors
who are now called essential
still going to work
so everyone else can stay at home

si, estoy en casa
de la escuela
leyendo y viendo demasiadas
pendejadas en Netflix
pero quedándome adentro
solo saliendo para entregar los mandados
a Ita y Lizabet
todos nosotros con sistema inmunológico
que sufriendo
desde que te fuiste
más vulnerable
que nunca, pero nos mantenemos
unos a otros y algunos de nosotros
guardamos a Dios
es posible que haya
patriarcado a toda marcha
comprando nuestros mandados
o tal vez hubieras
desaparecido horas en la cueva
de sus discos conforme
en meditación con sus canciones
es difícil de decir
dónde estaríamos ahora
difícil saber
donde cualquiera de nosotros estaríamos
sin esta enfermedad
en el aire, hoy
La calidad
del aire en Los Ángeles
es la más limpia del mundo
encima de tu barrio.
donde la ciudad se olvida de tus vecinos
que ahora se llaman esencial
todavía van a trabajar
para que todos los demás puedan quedarse en casa

Grief Logic #2

When Serafin died
the aire in the living room
went out—remember?
and it was the same
when Mike left
that morning
the fridge rattled out of warranty
too young just like him
melted from the inside
the first hot day of summer

I tried to save us
the gallina y carne
pulled from the freezer, at least
in tailgate coolers
borrowed from Tío's garage
the edges of the ice rounding
even as I scooped it out
with my bare hands burning raw dripping
I tried my best to preserve
what we had saved
pero no sirve
the warming earth
did not stop
for me.

Lógica de Luto #2

Cuando murió Serafin
el aire de la sala
se apagó, ¿recuerdas?
y fue lo mismo
cuando se fue Mike
esa mañana
el refrigerador se sacudió de su garantía
demasiado joven como él
se derritió desde el interior
el primer día caluroso del verano

Traté de salvar
la gallina y carne
sacado del congelador, al menos
en las hieleras de portón trasero
prestados del garaje de Tío
los bordes del hielo redondeando
hasta cuando lo recogí con mis manos desnudas
ardiendo crudas goteando
hice mi mejor esfuerzo para preservar
lo que habíamos salvado
pero no sirve
el calentamiento de la tierra
no se detuvo
para mí.

Ha Pasado Un Año

de Clarita Bustos Salas

Quiero recordar todos los recuerdos y paseos
que tuve con mi esposo I want to sit and write
them all by hand:

En mi vida, mi esposo me decía,
Clarita, quieres esto? *Clarita*
vamos, vamos para allá
Clarita, siempre con mucho cariño,
how he would talk to me
and this I remember well.

No quiero vivir en un panteón.
Sometimes I pull books off his shelves—
I thought I had read every Poniatowska but
found something new last week y mira!
A veces, lo leo y lo abrazo a mi pecho.

Please don't buy me
orchidías with all the flowers floricadas
anymore, I know they are enchanting,
caras abiertas, ready to be looked at
but the stems
with the closed buds
viven más.

Ha Pasado Un Año

de Clarita Bustos Salas

Quiero recordar todos los recuerdos y paseos
que tuve con mi esposo
Quiero sentarme y escribirlas a mano:

En mi vida, mi esposo me decía,
Clarita, ¿quieres esto? *Clarita*
vamos, vamos para allá
Clarita, siempre con mucho cariño,
como me hablaba
y esto lo recuerdo bien.

No quiero vivir en un panteón.
A veces saco libros de sus estantes—
Pensé que había leído todo lo de Poniatowska pero
encontré algo nuevo la semana pasada y mira!
A veces, lo leo y lo abrazo a mi pecho.

Por favor no me compres
orchidías con todas las flores floricadas
más nunca, ya sé que son encantadoras,
caras abiertas, listas para ser vistas,
pero los tallos
con los cogollos cerrados
viven más.

Reading

after Norma E. Cantú

Consider the cotton fields—the gauze mouth twist of a word forgotten. And next, the drought: to have lost speech, jaw crammed with dirt and straw, damming the mouth. She said her face felt numb, como algodón. The words returned by her own digging, un milagro, de Díos y la tierra. Cantú wrote of the cotton summers, the vast Texas plain of childhood between harvests. Clarita reads it to me; she must now say words out loud in order to understand them. She holds each word, its own boll. And with this, we are not walking through Texas at all but in Michoacán, her father's field. *We tried to grow some, no era un buen clima.* A few more sentences, we stop again, another place: I learn here my abuelito worked in the cotton fields of New Mexico. And here we are, holding the stem of the cotton bud, seeing the blood pricking up from his child hands, and now ours, fourteen at the same time. The blood in my hands inks a ballot bubble, worries a sentence, clears the earth to plant yellow tulips. Hands clenched in fear or anxiety but soft, softened with lotion, not calloused with hunger. He only spoke of the softer crops beside the sea. He lives again in a moment he never handed me. It is not romantic. It is not beautiful. A few sentences and now we're in Valparaíso, his old rancho. Los tios would ask him where he wanted to be buried in the family plot in Zacatecas and he would laugh at them say: Mi esposa, mis reinas son de este lado. ¿Quién va traer las flores para mí por allí? As if to say: leave my body where I brought it.

Leyendo

después de Norma E. Cantú

Piense en los campos de algodón, la boca de gasa torcida de una palabra olvidada. Y luego, la sequía: haber perdido el habla, la mandíbula atiborrada de tierra y paja, represando la boca. Ella dijo que su cara se sentía entumecida, como algodón. Las palabras devueltas por su propia excavación, un milagro, de Díos y la tierra. Cantú escribió sobre los veranos algodoneros, la vasta llanura de Texas de su infancia entre cosechas. Clarita me lo lee; ahora debe decir las palabras en voz alta para entenderlas. Ella sostiene cada palabra, su propio capullo. Y con esto, no estamos caminando por Texas sino por Michoacán, el campo de su padre. *Nosotros intentamos cultivar algunos, no era un buen clima.* Unas cuantas frases más, paramos de nuevo, en otro lugar: me entero aquí que mi abuelito trabajó en los campos de algodón de Nuevo México. Y aquí estamos, sosteniendo el tallo del capullo de algodón, viendo la sangre brotar de sus manos de niño, y ahora de las nuestras, catorce años al mismo tiempo. La sangre en mis manos entinta una burbuja de voto, preocupa una frase, despeja la tierra para sembrar tulipanes amarillos. Manos apretadas por el miedo o la ansiedad pero suaves, suavizadas con loción, no encallecidas por el hambre. El solo habló de los cultivos más suaves al lado del mar. Vive de nuevo en un momento que nunca me entregó. No es romántico. No es hermoso. Unas cuantas frases y ya estamos en Valparaíso, su antiguo rancho. Los tíos le preguntaban dónde quería que lo enterraran en la parcela familiar en Zacatecas y él se reía de ellos y decía: Mi esposa, mis reinas son de este lado. ¿Quién va traer las flores para mí por allí? Como si dijera: deja mi cuerpo donde lo traje.

Acknowledgements

Immense gratitude to the following publications who first gave community-facing homes to the following poems:

Northwest Review, "The first night of no one"

[PANK] Magazine, "Clarita speaks to Serafin while pacing the house alone"

[PANK] Magazine, "Nieta Heaven"

PCC Inscape Magazine, "[We're most like ghosts]"

Additionally, Emma Trelles would like to thank Andrea Vigil for her assistance with the translations.

About the Poet

Crystal AC Salas is a Xicanx poet, essayist, educator, and community organizer. She was born and raised in Ventura County as well as the San Fernando Valley, which is where she lives currently. She recently completed her MFA in Poetry at UC Riverside where she also provided arts and storytelling outreach as a Gluck fellow and Along the Chaparral fellow. Presently, she is a writing coach and community poetry workshop facilitator at the Moorpark College Writing Center, and serves as a poetry editor at *BreakBread Magazine*. Her work has appeared in *Northwest Review*, *[PANK] Magazine*, *Chaparral Poetry*, *The Acentos Review*, *Inscape Magazine* and others.

CPSIA information can be obtained
at www.ICGtesting.com
Printed in the USA
BVHW040508070622
639033BV00003B/258